S0-CCI-738

LES PLUS BEAUX CONTES DU MONDE

Le Magicien d'Oz

raconté par MARLÈNE JOBERT

EDITIONS ATLAS

Éditions Glénat
Couvent Sainte-Cécile
37, rue Servan
38000 Grenoble

© Éditions Atlas, MMV
© Éditions Glénat, pour l'adaptation, MMXI
Tous droits réservés pour tous pays

Avec la participation de Marlène Jobert
Illustrations : atelier Philippe Harchy
Photo de couverture : Éric Robert/Corbis
Prépresse et fabrication : Glénat Production

Achevé d'imprimer en janvier 2013 en Italie par L.E.G.O. S.p.A.
Viale dell'industria, 2
36100 Vicenza
Dépôt légal : mars 2011
ISBN : 978-2-7234-8129-8

Loi n°49-956 du 16 juillet 1949 sur les publications destinées à la jeunesse.

Je vais vous parler de Dorothée. Son histoire s'est passée il y a bien longtemps, en Amérique. Dorothée était une très jolie petite fille. Elle était orpheline et vivait avec sa tante Emma, dans une petite ferme entourée de champs. Toutes les deux s'entendaient très bien. Dorothée aidait beaucoup sa tante à s'occuper de la maison, à moissonner le blé et à mener paître les vaches. Mais ce qu'elle aimait par-dessus tout, c'était jouer dans les bois avec son petit chien Toto.

Un jour que Dorothée et Toto jouaient à cache-cache dans la forêt,
le vent se leva et la pluie se mit à tomber.

- *Toto ! Toto ! Où es-tu ? Viens vite, il faut rentrer !*

Mais ce coquin de Toto ne répondait pas. Dorothée leva la tête : le ciel
s'obscurcissait de plus en plus, et soudain, là, au bout de la plaine,
elle vit comme un gigantesque tourbillon noir qui roulait et sifflait
en rasant le sol, arrachant tout sur son passage.

- *Une tornade ! Elle vient droit sur nous ! Vite, Toto ! Vite !*

Le bruit devenait assourdissant.

Enfin, Toto surgit de derrière un arbre et se jeta dans les bras de la
petite fille, qui se précipita vers la maison.

- *Vite, vite, ma chérie ! Vite !* criait Tante Emma devant la porte.
À la cave, nous serons à l'abri !

Dorothée s'engouffra dans la maison en serrant Toto dans ses bras. À l'intérieur, elle s'apprêtait à suivre sa tante Emma dans l'escalier de la cave, quand une violente secousse projeta la petite fille au sol. La maison tout entière se mit à gémir, à craquer et à tournoyer dans les airs, comme si elle n'était qu'une toute petite toupie de bois. Allongée par terre et secouée dans tous les sens, Dorothée finit par s'évanouir. Et soudain… boum ! Après un grand bruit, la petite fille se réveilla. La maison vient d'atterrir quelque part, mais où ?
Elle tient toujours contre elle Toto qui lui lèche les mains, mais elle ne voit pas sa tante Emma. A-t-elle eu le temps de se réfugier au fond de la cave avant que le reste de la maison ne s'envole ? Sûrement…
Dorothée se lève, ouvre la porte et là… elle découvre un paysage incroyable et stupéfiant de beauté !
Écoutez plutôt : l'herbe est toute bleue, les arbres portent des fruits qui ressemblent à des étoiles, et dans le ciel rose bonbon brillent non pas un, mais deux soleils !

- *Bienvenue au pays d'Oz*, dit soudain une petite voix.

Dorothée voit alors devant elle un étrange petit lutin avec
des vêtements arc-en-ciel.

- *Merci, petite fille !* dit le lutin en souriant. *Tu viens de nous rendre
un grand service. Avec ta maison volante, tu as tué notre pire
ennemie, la méchante sorcière de l'Est ! regarde !*

Dorothée se penche et aperçoit en effet, sous la maison, deux grands
pieds qui dépassent.

- *Oh ! Ma maison l'a écrasée en atterrissant !*

Mais voilà que des dizaines de petits lutins surgissent des bois
pour l'acclamer.

- *Bravo ! Bon débarras ! Ahh... Il faut fêter ça ! Bravo, c'est bien,
c'est bien, petite fille, c'est bien !*

- *Tout ça, c'est bien joli !* dit Dorothée. *Mais comment je vais faire
à présent pour rentrer chez moi ?*

- *Va voir le magicien d'Oz*, lui dit un vieux lutin. *Il pourra sûrement
t'aider : c'est le plus grand des magiciens. Il habite tout au bout de
cette route, tu vois, là ? Celle qui est recouverte de pavés d'or !*

Dorothée remercie les lutins et s'engage avec Toto sur le joli chemin brillant qui serpente dans l'herbe bleue.

À peine a-t-elle fait quelques pas qu'elle voit arriver à sa rencontre une très belle dame, assise sur un ravissant petit nuage rose.
- *Chère enfant, bienvenue chez nous. Je suis la bonne fée du Nord.*
Tu nous as débarrassés de l'affreuse sorcière de l'Est, et je t'en
remercie. Mais fais attention, petite, fais attention : sa sœur,
la terrible sorcière de l'Ouest, va sûrement essayer de se venger.
Aussi, pour te protéger, je te donne cette paire de souliers magiques.
Ne t'en sépare jamais. Bonne route, ma jolie, bonne route !
Dorothée ne comprend pas en quoi consiste le pouvoir des souliers.
Mais, comme elle les trouve jolis, elle les enfile et poursuit
son chemin, suivie de Toto.

Tous deux longent bientôt un grand champ de maïs au milieu duquel est planté un grand épouvantail.

- *Eh ho ! Petite fille ! Tu ne veux pas m'aider à descendre de ce poteau ? J'en ai assez d'être planté là, au milieu des corbeaux !*

Avec beaucoup de délicatesse, Dorothée détache l'épouvantail et l'aide à descendre.

- *Merci,* dit l'épouvantail en s'étirant. *Mais... mais, au fait, qu'est ce que je vais devenir, moi, maintenant ? Je suis bien trop bête pour courir le monde : je n'ai pas de cerveau. Les gens qui m'ont fabriqué ont rempli ma tête de paille !*

- *Eh bien, viens avec moi chez le magicien d'Oz ! Il a l'air très puissant. Il pourra sûrement résoudre ton problème !*

Et c'est ainsi que Dorothée et Toto repartent, accompagnés d'un étrange nouvel ami à la tête pleine de paille !

La route pavée d'or traverse bientôt une épaisse forêt. Derrière un arbre, Dorothée entend soudain un curieux grincement. Elle découvre alors un bien étrange personnage… Immobile, courbé en deux, un homme tout en fer-blanc la regarde d'un air très triste. Il ne peut pas bouger : ses rouages sont bloqués par la rouille !

Dorothée saisit alors une petite burette d'huile suspendue à une branche et graisse minutieusement les articulations de l'homme de fer.

- Ah ! Ça fait du bien, dit-il en se redressant. *Mais mon cœur, mon pauvre cœur, tu n'as pas pu l'atteindre, petite, avec ta burette d'huile ! Il est caché tout au fond de ma poitrine, et il est tout rouillé. Et à cause de cela, je ne peux plus aimer…*

- *Eh bien, viens avec nous chez le magicien d'Oz ! Il pourra sûrement résoudre ton problème !* dit Dorothée.

Et elle reprend son chemin, suivie de Toto, de l'épouvantail et de l'homme en fer-blanc au cœur tout rouillé.

Au détour d'un sentier, Dorothée aperçoit une grande flaque d'eau.
Et au-delà, couché sur une grosse pierre, un lion en pleurs.
Et il pleure tant et si bien que ses larmes sont en train d'inonder
les pavés d'or du chemin !

- *Non non non non ! N'approchez pas, n'approchez pas ! Au secours !
Au secours ! J'ai peur, j'ai peur, j'ai peur !*

Dorothée avance doucement :

- *Allons, mais calme-toi, qu'est-ce qui se passe ?*

- *Je devrais être le roi des animaux, fort, brave, respecté. Mais
je n'ai pas de courage, j'ai peur de tout. La moindre mouche me fait
trembler, le moindre bruit me fait pleurer de terreur... Alors, vous
pensez bien, quand je vous ai vus arriver !*

- *Allons*, dit Dorothée. *Viens avec nous. Nous allons chez le magicien
d'Oz. Il pourra sûrement résoudre ton problème !*

Et le lion poltron rejoint ainsi Dorothée, le chien Toto, l'épouvantail
et l'homme en fer-blanc sur le chemin pavé d'or qui mène chez le
magicien d'Oz. La nuit tombe. Les cinq compagnons décident de se
reposer au pied d'un arbre, dans un champ de coquelicots.

Avec Toto dans les bras, Dorothée se blottit contre la douce fourrure du lion, tandis que l'épouvantail et l'homme en fer-blanc montent la garde.

Hélas, ils ne savent pas que, non loin de là, la sorcière de l'Ouest les surveille depuis le début de leur voyage. Entourée de ses affreux singes volants, elle a tout vu, et elle est bien déterminée à venger la mort de sa sœur, la sorcière de l'Est.

- *Ha ha ha ha ! ma petite*, grogne-t-elle, *tu crois peut être que ces souliers magiques vont te protéger et te permettre de rentrer chez toi ! Hé hé hé hé... Mais je ne te laisserai pas le temps de les utiliser, hé hé hé... car ces souliers, il me les faut, à moi ! Et maintenant, allez, dormez... dormez tous !* dit-elle en répandant un souffle nauséabond sur la prairie.

Aussitôt, ce puissant somnifère plonge Dorothée et ses amis dans un profond sommeil.

La voie est libre ! Les singes volants de l'affreuse sorcière de l'Ouest peuvent attaquer ! Surgissant de tous les côtés, ils se jettent sur les souliers magiques de Dorothée et tirent, tirent, tirent... Mais pas moyen de les lui enlever ! Ils semblent cloués à ses pieds !
Pour finir, les singes, découragés, décident d'enlever la fillette pour la ramener à leur maîtresse. Vous imaginez la stupeur de Toto, du lion, de l'épouvantail et de l'homme en fer-blanc lorsqu'ils découvrent, au petit matin, la disparition de leur petite amie ! Ils se mettent à l'appeler si fort que leurs cris parviennent aux oreilles de la fée du Nord. En se posant près d'eux sur son petit nuage rose, elle leur dit :
- *Ah ! C'est un coup de la sorcière de l'Ouest, mais oui ! Elle habite là-bas au milieu d'un désert, car elle ne supporte pas l'eau voyez-vous ? Une seule goutte jetée sur elle, et elle disparaît. Je peux vous emmener aux porte de son domaine si vous voulez, mais je ne peux pas y entrer : mon nuage s'évaporerait.*

C'est ainsi que les quatre amis se retrouvent aux portes du désert, fermement décidés à sauver Dorothée des griffes de l'horrible sorcière de l'Ouest. Enfin, quand je dis fermement… pas pour tous, car vous vous doutez bien que le lion est tellement terrorisé qu'il s'est remis à pleurer de plus belle ! Hélas, ses craintes sont justifiées. À peine ont-ils fait quelques pas sur le sable brûlant que deux gardes les attrapent pour les jeter dans un obscur cachot. Le lion sanglote de plus en plus fort.

- *C'est toi que j'entends, mon ami le lion ?* dit soudain une petite voix dans le noir.

C'est Dorothée, bien sûr, qui est enfermée dans le même cachot !
La terrible sorcière l'avait emprisonnée, espérant que la fillette accepte de lui donner ses souliers magiques.

Tous se demandent comment sortir de là.

- *J'ai une idée*, dit l'homme en fer-blanc. *Je vais dévisser mon pied et tu t'en serviras comme récipient pour recueillir les larmes du lion.*
Aussitôt dit, aussitôt fait !

- *Madame la sorcière !* appelle alors Dorothée. *Venez ! Venez, j'ai changé d'avis ! Venez chercher mes souliers.*

- *Ah, enfin*, grogne la sorcière en ouvrant la grille du cachot. *Eh bien vas-y, petite sotte, vas-y, donne-les moi !*

Dorothée attend que la sorcière soit plus près d'elle, et hop !
Elle lui jette l'eau au visage. La sorcière pousse un long cri de rage et se met à fondre, à fondre comme neige au soleil ! Nos amis grimpent alors sur le dos du lion et repartent.

Ensuite, transportés sur le petit nuage rose de la fée du Nord,
Dorothée et ses compagnons arrivent devant le magnifique domaine
du magicien d'Oz. C'est une cité entièrement construite en
émeraudes, toute scintillante dans la lumière des deux soleils
du pays d'Oz ! Dorothée demande à être reçue par le grand magicien,
et on la mène avec ses amis jusqu'à une salle immense toute
drapée de voiles. Au centre trône dans un grand cadre ovale une vitre
à travers laquelle le terrible visage du magicien apparaît dans
un tourbillon de fumée verdâtre !
- *Comme c'est bizarre*, murmure Dorothée. *Pourquoi nous reçoit-il
derrière cette vitre ?*
- *Que voulez-vous, étrangers ?*

La voix du magicien d'Oz est d'une puissance extraordinaire.
Toto, terrorisé, fait un bond et heurte la vitre… qui tombe sur le sol
et se brise !

Mais qui vient de crier derrière la vitre cassée ? Qui est donc ce petit bonhomme tout maigre, tout ratatiné, avec des cheveux blancs, des lunettes de grand-père, et qui en plus tient à la main un haut-parleur ?

- *Vous avez découvert mon secret*, dit-il d'un air désespéré.

Oui, je suis le magicien d'Oz, mais je ne suis qu'une illusion.

Et il leur explique qu'avant il n'était qu'un petit magicien, un prestidigitateur de rien du tout dans un cirque. Et un jour qu'il faisait un numéro dans sa montgolfière, une tornade l'avait emporté jusqu'au pays d'Oz. En le voyant descendre du ciel, les habitants l'avaient pris pour un véritable magicien aux pouvoirs exceptionnels. L'occasion était trop belle ! Il les avait laissés lui construire un palais fabuleux, et, à l'aide de ses quelques tours et de cette vitre déformante, il avait continué à leur faire croire qu'il était un être puissant et respectable…

- *Quelle histoire !* s'écrie Dorothée. *Mais alors, si vous n'avez pas de vrais pouvoirs, qui va m'aider à rentrer chez moi ? Et qui réalisera les souhaits de mes amis ?*

Soudain apparaît, sur un joli nuage bleu, une belle dame très
gracieuse et très élégante.

- Je suis la fée du Sud, dit-elle à Dorothée. *Je te félicite pour ton
courage, ta douceur et ta persévérance. Mais, dis-moi, tu n'es pas
très curieuse ! Tu ne t'es jamais demandé à quoi servaient les souliers
que t'a donnés la fée du Nord ? Tu portes aux pieds le plus puissant
des prodiges. Ferme les yeux, fais un vœu, claque trois fois des
talons, et où tu veux ces souliers te mèneront ! Quant à tes amis,
ne t'inquiète pas, je m'occupe d'eux.*

Dorothée embrasse l'épouvantail, le lion et l'homme en fer-blanc.
Puis elle prend Toto dans ses bras, ferme les yeux, et claque trois fois
des talons. Aussitôt, elle disparaît dans un grand éclair lumineux...
et se retrouve sur l'herbe bien verte de son pays : l'Amérique !
Au loin, elle aperçoit sa tante. Mais... mais que fait-elle ?
On dirait qu'elle est en train de construire une nouvelle maison
avec l'aide du voisin !

- Mais, bien sûr, dit Dorothée, *notre ancienne maison est restée
au pays d'Oz.*

C'est ainsi que Dorothée et Toto retrouvèrent tout ce qui faisait les joies de leur vie d'avant. Et, de temps en temps, quand ses amis lui manquaient, Dorothée enfilait ses chaussures pour retourner au pays d'Oz et les retrouver. Grâce aux pouvoirs de la fée du Sud, ils avaient bien changé : l'épouvantail était devenu... devinez quoi ? intelligent ; le lion... devinez quoi ? courageux ; et l'homme en fer-blanc, évidemment avait un cœur... en or !

Fin